D1398838

In Loving Memory

Guest Name

_____

_____

Contact Info _____

_____

_____

_____

Address _____

_____

_____

_____

Share A Memorie

_____

_____

_____

_____

_____

_____

_____

_____

With Love _____

Guest Name

_____

_____

Contact Info _____

_____

_____

_____

Address _____

_____

_____

_____

Share A Memorie

_____

_____

_____

_____

_____

_____

_____

_____

With Love _____

Guest Name

_____

_____

_____

Contact Info _____

_____

_____

_____

Address _____

_____

_____

_____

Share A Memorie

_____

_____

_____

_____

_____

_____

_____

_____

With Love _____

Guest Name

_____

_____

_____

Contact Info _____

_____

_____

_____

Address _____

_____

_____

_____

Share A Memorie

_____

_____

_____

_____

_____

_____

_____

_____

With Love _____

Guest Name

Share A Memorie

_____

_____

Contact Info _____

_____

_____

_____

Address _____

_____

_____

_____

_____

_____

_____

_____

_____

With Love _____

Guest Name

_____

_____

Contact Info _____

_____

_____

_____

Address _____

_____

_____

_____

Share A Memorie

_____

_____

_____

_____

_____

_____

_____

_____

With Love _____

Guest Name

Share A Memorie

_____

_____

_____

Contact Info _____

_____

_____

_____

Address _____

_____

_____

_____

_____

_____

_____

_____

_____

_____

_____

_____

_____

With Love _____

_____

Guest Name

_____

_____

_____

Contact Info _____

_____

_____

Address _____

_____

_____

Share A Memorie

_____

_____

_____

_____

_____

_____

_____

_____

With Love _____

Guest Name

Share A Memorie

_____

_____

Contact Info _____

_____

_____

Address _____

_____

_____

_____

_____

_____

_____

_____

_____

_____

With Love _____

Guest Name

_____

_____

_____

Contact Info _____

_____

_____

_____

Address _____

_____

_____

_____

Share A Memorie

_____

_____

_____

_____

_____

_____

_____

_____

With Love _____

Guest Name

_____

_____

_____

Contact Info _____

_____

_____

_____

Address _____

_____

_____

_____

Share A Memorie

_____

_____

_____

_____

_____

_____

_____

_____

_____

With Love _____

Guest Name

Share A Memorie

_____

_____

_____

Contact Info _____

_____

_____

_____

Address _____

_____

_____

_____

_____

_____

_____

_____

_____

_____

_____

With Love _____

Guest Name   *Share A Memorie*

_____   _____

_____   _____

_____   _____

Contact Info _____   _____

_____   _____

_____   _____

_____   _____

Address _____   _____

_____   _____

_____   _____

_____   *With Love* _____

Guest Name

_____

_____

_____

Contact Info _____

_____

_____

_____

Address _____

_____

_____

_____

Share A Memorie

_____

_____

_____

_____

_____

_____

_____

_____

_____

_____

With Love _____

Guest Name

_____

_____

_____

Contact Info _____

_____

_____

_____

Address _____

_____

_____

_____

Share A Memorie

_____

_____

_____

_____

_____

_____

_____

_____

_____

With Love _____

Guest Name

Share A Memorie

_____

_____

_____

_____

Contact Info _____

_____

_____

_____

_____

_____

_____

Address _____

_____

_____

_____

_____

With Love _____

Guest Name

_____

_____

_____

Contact Info _____

_____

_____

_____

Address _____

_____

_____

_____

Share A Memorie

_____

_____

_____

_____

_____

_____

_____

_____

_____

With Love _____

Guest Name

_____

_____

Contact Info _____

_____

_____

_____

Address _____

_____

_____

Share A Memorie

_____

_____

_____

_____

_____

_____

_____

_____

With Love _____

Guest Name

_____

_____

_____

Contact Info _____

_____

_____

_____

Address _____

_____

_____

_____

Share A Memorie

_____

_____

_____

_____

_____

_____

_____

_____

_____

With Love _____

Guest Name

_____

_____

Contact Info _____

_____

_____

_____

Address _____

_____

_____

Share A Memorie

_____

_____

_____

_____

_____

_____

_____

_____

With Love _____

Guest Name

_____

_____

Contact Info _____

_____

_____

_____

Address _____

_____

_____

_____

Share A Memorie

_____

_____

_____

_____

_____

_____

_____

_____

With Love _____

Guest Name

Share A Memorie

_____

_____

Contact Info _____

_____

_____

_____

Address _____

_____

_____

_____

_____

_____

_____

_____

_____

_____

_____

_____

With Love _____

Guest Name

_____
_____

Contact Info _____

_____

_____

Address _____

_____

_____

Share A Memorie

_____
_____
_____
_____
_____
_____
_____
_____
_____

With Love _____

Guest Name

Share A Memorie

_____

_____

_____

Contact Info _____

_____

_____

_____

Address _____

_____

_____

_____

With Love _____

Guest Name

_____

_____

_____

Contact Info _____

_____

_____

_____

Address _____

_____

_____

Share A Memorie

_____

_____

_____

_____

_____

_____

_____

_____

_____

With Love _____

Guest Name

_____

_____

_____

Contact Info _____

_____

_____

_____

Address _____

_____

_____

_____

Share A Memorie

_____

_____

_____

_____

_____

_____

_____

_____

With Love _____

Guest Name

_____

_____

_____

Contact Info _____

_____

_____

_____

Address _____

_____

_____

_____

Share A Memorie

_____

_____

_____

_____

_____

_____

_____

_____

With Love _____

Guest Name

_____

_____

_____

Contact Info _____

_____

_____

_____

Address _____

_____

_____

_____

Share A Memorie

_____

_____

_____

_____

_____

_____

_____

_____

With Love _____

Guest Name

Share A Memorie

_____

_____

Contact Info _____

_____

_____

_____

Address _____

_____

_____

_____

_____

_____

_____

_____

_____

_____

_____

_____

With Love _____

Guest Name

_____

_____

_____

Contact Info _____

_____

_____

_____

Address _____

_____

_____

_____

Share A Memorie

_____

_____

_____

_____

_____

_____

_____

_____

With Love _____

Guest Name

_____

_____

Contact Info _____

_____

_____

Address _____

_____

_____

Share A Memorie

_____

_____

_____

_____

_____

_____

_____

With Love _____

Guest Name

_____

_____

Contact Info _____

_____

_____

_____

Address _____

_____

_____

Share A Memorie

_____

_____

_____

_____

_____

_____

_____

_____

With Love _____

Guest Name

Share A Memorie

_____

Contact Info _____

_____

Address _____

_____

With Love _____

Guest Name

Share A Memorie

_____

_____

_____

Contact Info _____

_____

_____

_____

Address _____

_____

_____

_____

_____

_____

_____

_____

_____

_____

_____

_____

With Love _____

Guest Name

Share A Memorie

_____

_____

_____

Contact Info _____

_____

_____

_____

Address _____

_____

_____

_____

_____

_____

_____

_____

_____

_____

_____

With Love _____

Guest Name

_____

_____

_____

Contact Info _____

_____

_____

_____

Address _____

_____

_____

_____

Share A Memorie

_____

_____

_____

_____

_____

_____

_____

_____

_____

With Love _____

Guest Name

Share A Memorie

_____

_____

Contact Info _____

_____

_____

Address _____

_____

_____

_____

_____

_____

_____

_____

_____

With Love _____

Guest Name

_____

_____

_____

Contact Info _____

_____

_____

_____

Address _____

_____

_____

_____

Share A Memorie

_____

_____

_____

_____

_____

_____

_____

_____

With Love _____

Guest Name

_____

_____

_____

Contact Info _____

_____

_____

_____

Address _____

_____

_____

_____

Share A Memorie

_____

_____

_____

_____

_____

_____

_____

_____

With Love _____

Guest Name

_____

_____

_____

Contact Info _____

_____

_____

_____

Address _____

_____

_____

_____

Share A Memorie

_____

_____

_____

_____

_____

_____

_____

_____

_____

With Love _____

Guest Name

_____

_____

_____

Contact Info _____

_____

_____

_____

Address _____

_____

_____

_____

Share A Memorie

_____

_____

_____

_____

_____

_____

_____

_____

_____

_____

_____

With Love _____

Guest Name

_____

_____

_____

Contact Info _____

_____

_____

_____

Address _____

_____

_____

_____

Share A Memorie

_____

_____

_____

_____

_____

_____

_____

_____

With Love _____

Guest Name

_____

_____

_____

Contact Info _____

_____

_____

_____

Address _____

_____

_____

Share A Memorie

_____

_____

_____

_____

_____

_____

_____

_____

_____

With Love _____

Guest Name

Share A Memorie

_____

_____

Contact Info _____

_____

_____

Address _____

_____

_____

_____

_____

_____

_____

_____

_____

_____

With Love _____

Guest Name

_____

_____

_____

Contact Info _____

_____

_____

_____

Address _____

_____

_____

Share A Memorie

_____

_____

_____

_____

_____

_____

_____

_____

With Love _____

Guest Name

Share A Memorie

_____

_____

_____

Contact Info _____

_____

_____

Address _____

_____

_____

_____

_____

_____

_____

_____

_____

_____

With Love _____

Guest Name

Share A Memorie

_____

_____

_____

Contact Info _____

_____

_____

Address _____

_____

_____

_____

_____

_____

_____

_____

_____

_____

_____

With Love _____

Guest Name

_____

_____

Contact Info _____

_____

_____

_____

Address _____

_____

_____

Share A Memorie

_____

_____

_____

_____

_____

_____

_____

_____

With Love _____

Guest Name

_____

_____

_____

Contact Info _____

_____

_____

_____

Address _____

_____

_____

_____

Share A Memorie

_____

_____

_____

_____

_____

_____

_____

_____

With Love _____

Guest Name

Share A Memorie

_____

_____

_____

Contact Info _____

_____

_____

_____

Address _____

_____

_____

_____

_____

_____

_____

_____

_____

_____

_____

_____

With Love _____

Guest Name

Share A Memorie

_____

_____

_____

Contact Info _____

_____

_____

_____

Address _____

_____

_____

_____

_____

_____

_____

_____

_____

_____

_____

With Love _____

Guest Name

_____

_____

_____

Contact Info _____

_____

_____

_____

Address _____

_____

_____

_____

Share A Memorie

_____

_____

_____

_____

_____

_____

_____

_____

With Love _____

Guest Name

_____

_____

_____

Contact Info _____

_____

_____

_____

Address _____

_____

_____

_____

Share A Memorie

_____

_____

_____

_____

_____

_____

_____

_____

_____

With Love _____

Guest Name

Share A Memorie

_____

_____

Contact Info _____

_____

_____

Address _____

_____

_____

_____

_____

_____

_____

_____

_____

_____

With Love _____

Guest Name

Share A Memorie

_____

_____

_____

Contact Info _____

_____

_____

_____

_____

_____

Address _____

_____

_____

_____

_____

With Love _____

Guest Name

Share A Memorie

_____

_____

_____

Contact Info _____

_____

_____

_____

Address _____

_____

_____

_____

_____

_____

_____

_____

_____

_____

With Love _____

Guest Name

Share A Memorie

_____

_____

_____

_____

Contact Info _____

_____

_____

_____

_____

_____

Address _____

_____

_____

_____

_____

With Love _____

Guest Name

Share A Memorie

_____

Contact Info _____

_____

Address _____

_____

With Love _____

Guest Name

Share A Memorie

_____

_____

_____

Contact Info _____

_____

_____

_____

_____

_____

Address _____

_____

_____

_____

_____

_____

With Love _____

Guest Name

_____

_____

_____

Contact Info _____

_____

_____

_____

Address _____

_____

_____

_____

Share A Memorie

_____

_____

_____

_____

_____

_____

_____

_____

_____

_____

With Love _____

Guest Name   *Share A Memorie*

_____   _____

_____   _____

                                          _____

Contact Info _____   _____

_____   _____

_____   _____

_____   _____

Address _____   _____

_____   _____

_____   _____

_____   *With Love* _____

Guest Name

Share A Memorie

_____

_____

Contact Info _____

_____

_____

Address _____

_____

_____

_____

_____

_____

_____

_____

_____

_____

_____

_____

With Love _____

Guest Name

_____

_____

_____

Contact Info _____

_____

_____

_____

Address _____

_____

_____

_____

Share A Memorie

_____

_____

_____

_____

_____

_____

_____

_____

With Love _____

Guest Name

Share A Memorie

Contact Info _____

Address _____

With Love _____

Guest Name

_____

_____

_____

Contact Info _____

_____

_____

_____

Address _____

_____

_____

_____

Share A Memorie

_____

_____

_____

_____

_____

_____

_____

_____

_____

With Love _____

Guest Name

_____

_____

_____

Contact Info _____

_____

_____

_____

Address _____

_____

_____

_____

Share A Memorie

_____

_____

_____

_____

_____

_____

_____

_____

_____

With Love _____

Guest Name

Share A Memorie

_____

_____

_____

Contact Info _____

_____

_____

_____

Address _____

_____

_____

_____

_____

_____

_____

_____

_____

_____

_____

With Love _____

Guest Name

_____

_____

_____

Contact Info _____

_____

_____

_____

Address _____

_____

_____

_____

Share A Memorie

_____

_____

_____

_____

_____

_____

_____

_____

_____

With Love _____

Guest Name

_____

_____

Contact Info _____

_____

_____

Address _____

_____

_____

Share A Memorie

_____

_____

_____

_____

_____

_____

_____

_____

With Love _____

Guest Name

Share A Memorie

_____

_____

_____

Contact Info _____

_____

_____

_____

Address _____

_____

_____

_____

_____

_____

_____

_____

_____

_____

_____

_____

With Love _____

Guest Name

Share A Memorie

_____

_____

_____

Contact Info _____

_____

_____

_____

_____

_____

Address _____

_____

_____

_____

_____

_____

With Love _____

Guest Name

_____

_____

_____

Contact Info _____

_____

_____

_____

Address _____

_____

_____

_____

Share A Memorie

_____

_____

_____

_____

_____

_____

_____

_____

_____

With Love _____

Guest Name

Share A Memorie

_____

_____

Contact Info _____

_____

_____

Address _____

_____

_____

_____

_____

_____

_____

_____

_____

With Love _____

Guest Name

Share A Memorie

_____

_____

_____

Contact Info _____

_____

_____

Address _____

_____

_____

_____

_____

_____

_____

_____

_____

_____

With Love _____

Guest Name

Share A Memorie

Contact Info _____

Address _____

With Love _____

Guest Name

_____

_____

Contact Info _____

_____

_____

Address _____

_____

_____

Share A Memorie

_____

_____

_____

_____

_____

_____

_____

_____

With Love _____

Guest Name

_____

_____

_____

Contact Info _____

_____

_____

_____

Address _____

_____

_____

_____

Share A Memorie

_____

_____

_____

_____

_____

_____

_____

_____

_____

With Love _____

Guest Name

_____

_____

Contact Info _____

_____

_____

Address _____

_____

_____

Share A Memorie

_____

_____

_____

_____

_____

_____

_____

With Love _____

Guest Name

Share A Memorie

_____

_____

_____

Contact Info _____

_____

_____

_____

Address _____

_____

_____

_____

_____

_____

_____

_____

_____

_____

_____

With Love _____

Guest Name

Share A Memorie

Contact Info _____

Address _____

With Love _____

Guest Name

_____

_____

_____

Contact Info _____

_____

_____

_____

Address _____

_____

_____

_____

Share A Memorie

_____

_____

_____

_____

_____

_____

_____

_____

_____

With Love _____

Guest Name

_____

_____

_____

Contact Info _____

_____

_____

_____

Address _____

_____

_____

_____

Share A Memorie

_____

_____

_____

_____

_____

_____

_____

With Love _____

Guest Name

Share A Memorie

_____

_____

_____

Contact Info _____

_____

_____

Address _____

_____

_____

_____

_____

_____

_____

_____

_____

_____

_____

_____

With Love _____

Guest Name

_____

_____

_____

Contact Info _____

_____

_____

_____

Address _____

_____

_____

Share A Memorie

_____

_____

_____

_____

_____

_____

_____

_____

_____

With Love _____

Guest Name

Share A Memorie

_____

_____

_____

Contact Info _____

_____

_____

Address _____

_____

_____

_____

_____

_____

_____

_____

_____

With Love _____

Guest Name

_____

_____

_____

Contact Info _____

_____

_____

_____

Address _____

_____

_____

Share A Memorie

_____

_____

_____

_____

_____

_____

_____

_____

With Love _____

Guest Name

_____

_____

Contact Info _____

_____

_____

Address _____

_____

_____

Share A Memorie

_____

_____

_____

_____

_____

_____

_____

_____

With Love _____

Guest Name

Share A Memorie

_____

_____

Contact Info _____

_____

_____

Address _____

_____

_____

_____

_____

_____

_____

_____

_____

_____

With Love _____

Guest Name

_____

_____

_____

Contact Info _____

_____

_____

_____

Address _____

_____

_____

_____

Share A Memorie

_____

_____

_____

_____

_____

_____

_____

_____

_____

With Love _____

Guest Name

_____

_____

_____

Contact Info _____

_____

_____

_____

Address _____

_____

_____

_____

Share A Memorie

_____

_____

_____

_____

_____

_____

_____

_____

With Love _____

Guest Name

_____

_____

_____

Contact Info _____

_____

_____

_____

Address _____

_____

_____

_____

Share A Memorie

_____

_____

_____

_____

_____

_____

_____

_____

With Love _____

Guest Name

Share A Memorie

_____

_____

_____

Contact Info _____

_____

_____

_____

_____

Address _____

_____

_____

_____

_____

_____

_____

_____

_____

_____

_____

With Love _____

Guest Name

_____

_____

Contact Info _____

_____

_____

Address _____

_____

_____

Share A Memorie

_____

_____

_____

_____

_____

_____

_____

_____

With Love _____

Guest Name   *Share A Memorie*

_____   _____

_____   _____

Contact Info _____   _____

_____   _____

_____   _____

_____   _____

Address _____   _____

_____   _____

_____   _____

_____   *With Love* _____

Guest Name

_____

_____

Contact Info _____

_____

_____

Address _____

_____

_____

Share A Memorie

_____

_____

_____

_____

_____

_____

_____

_____

With Love _____

Guest Name

Share A Memorie

_____

_____

_____

Contact Info _____

_____

_____

_____

Address _____

_____

_____

_____

With Love _____

Guest Name

Share A Memorie

Contact Info _____

Address _____

With Love _____

Guest Name

Share A Memorie

_____

_____

Contact Info _____

_____

_____

Address _____

_____

_____

_____

_____

_____

_____

_____

_____

_____

With Love _____

Guest Name

_____

_____

Contact Info _____

_____

_____

_____

Address _____

_____

_____

_____

Share A Memorie

_____

_____

_____

_____

_____

_____

_____

_____

With Love _____

Guest Name

Share A Memorie

_____

_____

_____

Contact Info _____

_____

_____

_____

_____

Address _____

_____

_____

_____

_____

_____

_____

_____

_____

_____

_____

_____

_____

With Love _____

Guest Name

Share A Memorie

_____

_____

_____

Contact Info _____

_____

_____

_____

Address _____

_____

_____

_____

_____

_____

_____

_____

_____

With Love _____

Guest Name

_____

_____

Contact Info _____

_____

_____

_____

Address _____

_____

_____

Share A Memorie

_____

_____

_____

_____

_____

_____

_____

_____

With Love _____

Guest Name

_____

_____

_____

Contact Info _____

_____

_____

_____

Address _____

_____

_____

_____

Share A Memorie

_____

_____

_____

_____

_____

_____

_____

_____

_____

With Love _____

Guest Name

Share A Memorie

_____

_____

_____

Contact Info _____

_____

_____

_____

Address _____

_____

_____

With Love _____

Guest Name

_____

_____

Contact Info _____

_____

_____

Address _____

_____

_____

Share A Memorie

_____

_____

_____

_____

_____

_____

_____

With Love _____

Guest Name

Share A Memorie

Contact Info _____

Address _____

With Love _____

Guest Name

_____

_____

Contact Info _____

_____

_____

_____

Address _____

_____

_____

_____

Share A Memorie

_____

_____

_____

_____

_____

_____

_____

_____

With Love _____

Guest Name

Share A Memorie

_____

_____

Contact Info _____

_____

_____

Address _____

_____

_____

_____

_____

_____

_____

_____

_____

With Love _____

Guest Name

_____

_____

Contact Info _____

_____

_____

Address _____

_____

_____

Share A Memorie

_____

_____

_____

_____

_____

_____

_____

With Love _____

Guest Name

Share A Memorie

_____

_____

_____

Contact Info _____

_____

_____

_____

Address _____

_____

_____

_____

_____

_____

_____

_____

_____

_____

_____

_____

With Love _____

Guest Name

Share A Memorie

_____

_____

_____

Contact Info _____

_____

_____

_____

Address _____

_____

_____

_____

With Love _____

Guest Name

Share A Memorie

_____

_____

Contact Info _____

_____

_____

Address _____

_____

_____

With Love _____

Guest Name

_____

_____

_____

Contact Info _____

_____

_____

_____

Address _____

_____

_____

_____

Share A Memorie

_____

_____

_____

_____

_____

_____

_____

_____

_____

With Love _____

Guest Name

Share A Memorie

_____

_____

_____

Contact Info _____

_____

_____

_____

Address _____

_____

_____

_____

_____

_____

_____

_____

_____

_____

With Love _____

Guest Name

_____

_____

_____

Contact Info _____

_____

_____

_____

Address _____

_____

_____

Share A Memorie

_____

_____

_____

_____

_____

_____

_____

_____

_____

With Love _____

Guest Name

_____

_____

_____

Contact Info _____

_____

_____

_____

Address _____

_____

_____

_____

Share A Memorie

_____

_____

_____

_____

_____

_____

_____

_____

_____

With Love _____

Guest Name

Share A Memorie

_____

_____

_____

Contact Info _____

_____

_____

_____

_____

Address _____

_____

_____

_____

_____

_____

_____

_____

_____

_____

_____

With Love _____

Guest Name

Share A Memorie

_____

_____

Contact Info _____

_____

_____

_____

Address _____

_____

_____

_____

_____

_____

_____

_____

_____

_____

_____

With Love _____

Guest Name

_____

_____

Contact Info _____

_____

_____

Address _____

_____

_____

Share A Memorie

_____

_____

_____

_____

_____

_____

_____

_____

With Love _____

Guest Name

Share A Memorie

_____

_____

_____

Contact Info _____

_____

_____

_____

Address _____

_____

_____

_____

_____

_____

_____

_____

_____

_____

_____

_____

_____

With Love _____

Photo Here

Photo Here

Photo Here

Photo Here

Photo Here

Photo Here

Photo Here

Photo Here

Photo Here

Photo Here